バイエルに入るまで

酒田冨治　編著

1

共同音楽出版社

無理なく 楽しく ピアノへの導き

—— お母さまや先生へ ——

バイエルの教本がピアノ入門書として最も優れている事は、あらためていうまでもありません。しかし、幼児の手ほどきという立場からみますと、バイエルだけでは充分とはいえません。バイエルの教本を用いてピアノ指導の効果をあげるには、補充教材を豊富に用意する事と、導入段階の工夫が必要です。導入段階の工夫については、先に発行した拙著「**音感こどものバイエル**」にその一端をあげましたが、具体的な教材を載せる余裕がありませんでした。その後、導入教材を求める声が多くなってきましたので、その要望に応えるため、私が二十数年来実際に使ってきた教材を、更に整理してまとめたのが、この「**バイエルに入るまで**」全５巻です。

本書は次のような特色を持っています。

(1) 色々な遊びのなかで、楽譜が自然に身につくように工夫しました。ですから色々な遊び—ゆびあそび、おはじきあそび、クレヨンあそび等—は相当期間続ける方が効果的です。

(2) 楽譜は色々な要素から成り立っています。一見難しそうに見える楽譜も、その要素に分け、一つ一つ身につくように指導すると、楽にわかっていきます。それが具体化してあります。

(3) 幼児は同じ曲を二度三度と繰り返して弾かせると嫌な顔をしますが、次々に二曲、三曲と弾かせると喜んで弾きます。この心理を利用して、喜びの中に同じ曲を数回繰り返して弾いたのと同じ効果を得られるように工夫してあります。各項目ごとに同じ程度の曲が数多くまとめてあるのは、そうした趣旨からです。

(4) 知識や理論としてわからせるのでなく、感覚を通して経験させることにより、いろいろな事を体得出来るように具体化してあります。一つの事が確実に身についてから、次の段階へ進む事がポイントです。

(5) 楽譜を確実に身につけるには、書く事、読む事、弾く事が大切な条件です。とかく粗略にされがちな書く事、読む事も、相当長い間続ける事が大切です。

(6) 楽譜の大きさなどは「**音感こどものバイエル**」と同じにしてあります。

(7) 各巻の指導要点及び「**音感こどものバイエル**」との関連については、各巻の初めに書いてあります。

「**バイエルに入るまで**」全５巻「**音感こどものバイエル**」上下２巻「**こどものピアノ曲集**」全６巻は一貫した趣旨のもとに、密接な関連をとって編集してありますので、三者を一体として用いますと、おどろく程実力がつきます。

昭和36年早春　　　　酒 田 冨 治

第１巻指導の要点

◆◆◆ 先　生　へ ◆◆◆

第１巻では の５個の音についてそのなまえ(音名)、五線上の位置、ピアノのキーの位置が確実に分るように指導するのがねらいです。

「確実に」とは、考えてやっと分るのではなく、反射的に、楽に、すらすらと分ることです。このように分らせるには一度に多くのことをあれやこれやと教えずただ一つだけ教え、これを色々な遊び(作業)を楽しくしている中に、自然に身につくように指導するのがコツです。こどもは興味ある遊びには熱中し、遊びの中で色々なことを学んでいきます。「ゆび あそび」「おはじき あそび」「ピアノ あそび」「はりがみ あそび」「クレヨン あそび」等は、そうしたこどもの心理を利用して、楽しい遊びの中に、無理なく、自然に体得されるようにとの工夫であり、作業であります。

こうした遊びの中で が確実になったら「みぎて で ひきましょう」に入ります。ここでは楽譜をみて一つひとつ音名をよみながら、ゆっくりピアノをひきます。

同じようにして「**エフ**も ひきましょう」「**ゲー**も ひきましょう」に進みます。そして第１巻が終ったら「音感こどものバイエル」上巻の11頁「みぎてで ひきましょう」へ進みます。

ここでは、まだ音楽の他の要素、速さ・リズム・指使い等にはふれません。それらは第２巻以後、順を追って学んでいきます。

もくじ

表紙・カット■長谷川　淳

ゆび あそび

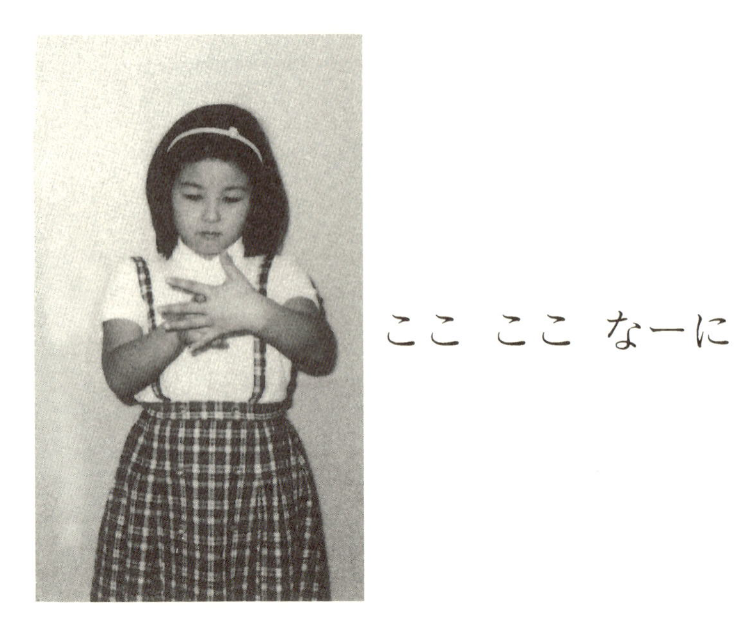

ここ ここ なーに

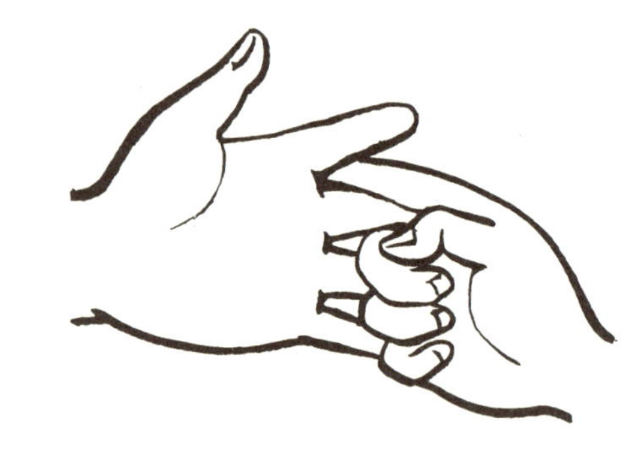

ツェー ですよ

ここ ここ なーに

エー ですよ

この ゆび なーに

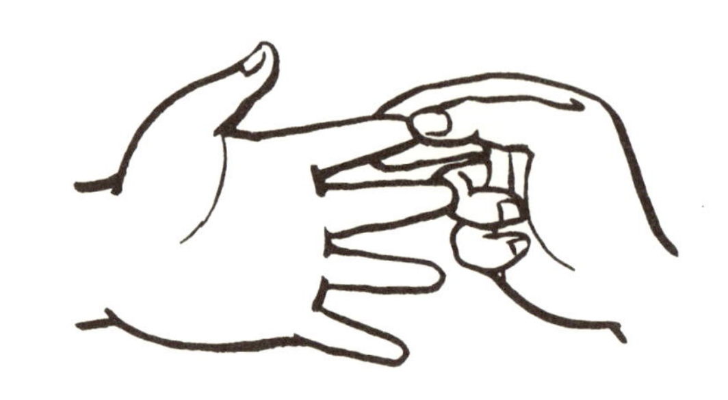

デー ですよ

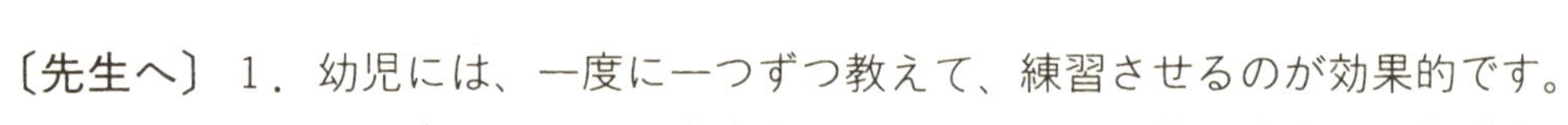

〔先生へ〕 1．幼児には、一度に一つずつ教えて、練習させるのが効果的です。

2．この本ではドイツ音名を用いていますが、他の音名でも指導法は同じです。

（ドイツ音名表は、「音感こどものバイエル」上巻4頁にあります。）

おはじき あそび

◆おはじきで **ツェー エー デー デー エー** を ならべました。

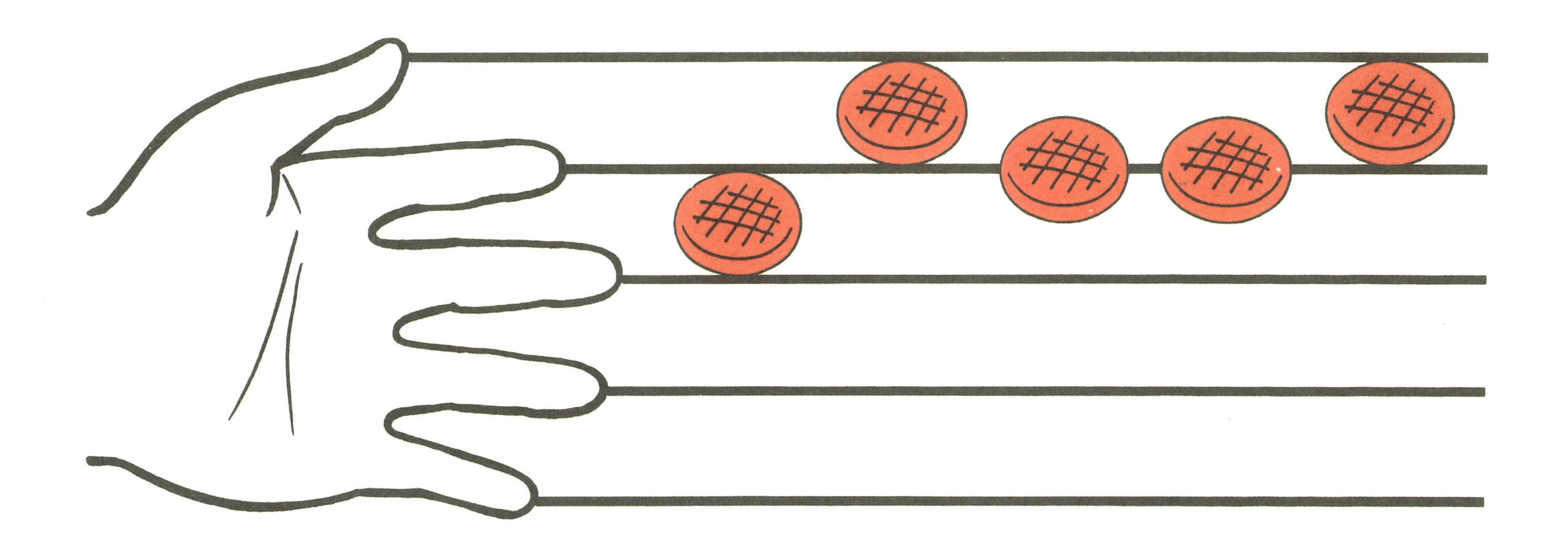

◆音感こどものバイエル 上巻 ふろくの「**かみキー**」のうらで おはじきあそびを しましょう。

ピアノ あそび

ピアノで **ツェー**を ひきましょう

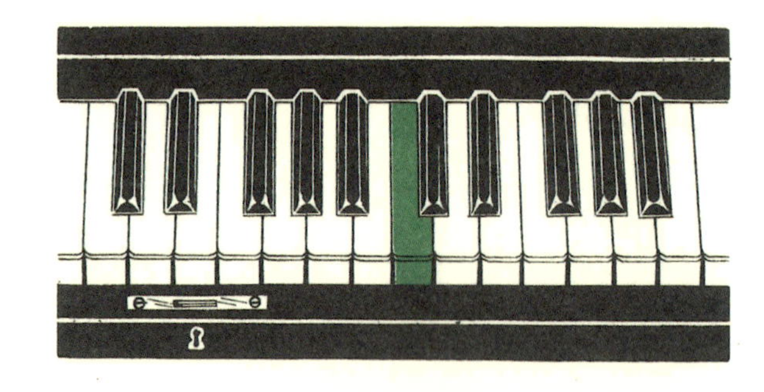

いろのキーの
ところです

ピアノで **デー**を ひきましょう

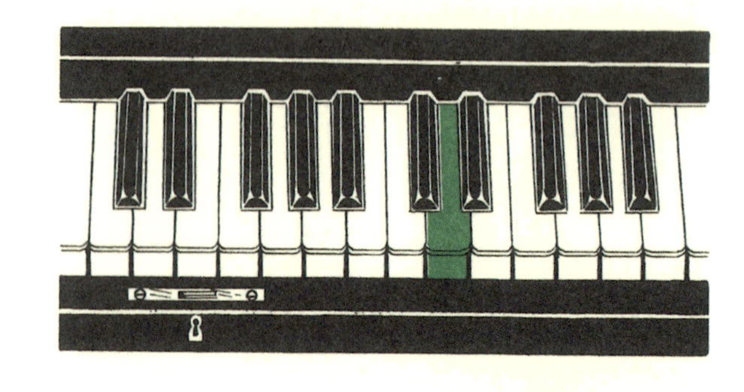

いろのキーの
ところです

ピアノで **エー**を ひきましょう

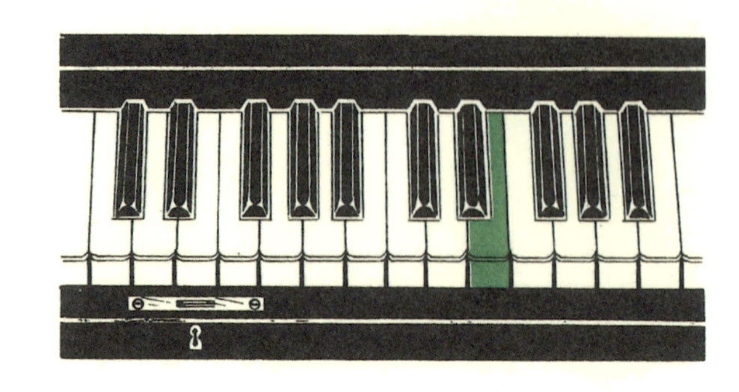

いろのキーの
ところです

◆音感こどものバイエル 上巻 ふろくの「**かみキー**」で ピアノあそびを しましょう。

〔**先生へ**〕ここではキーの名前を覚えるのが目的ですから、どの指でひいても結構です。

はりがみ あそび

◆はりがみで **ツェー デー エー** を はりました。

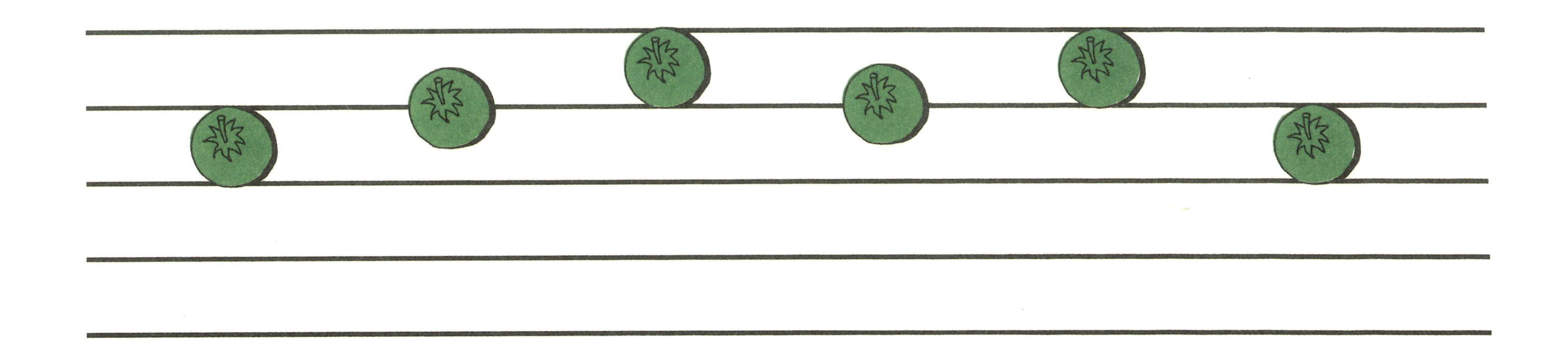

◆ほかの かみにも はりましょう。

◆はったのを よみましょう。

〔先生へ〕 𝄞 は当分の間書かなくても結構です。

クレヨン あそび

◆クレヨンで **ツェー デー エー** を かきました。

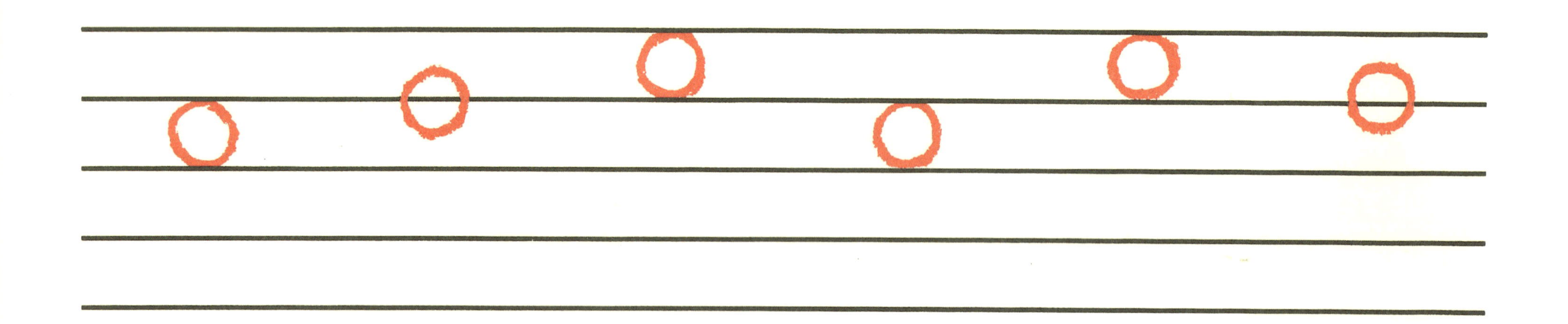

◆ほかの かみにも かきましょう。

◆かいたのを よみましょう。

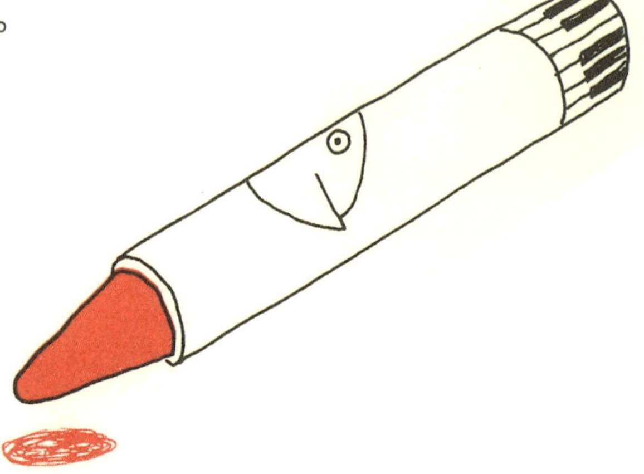

みぎて で ひきましょう

◆**ツェー デー エー** と よみながら ひきましょう。

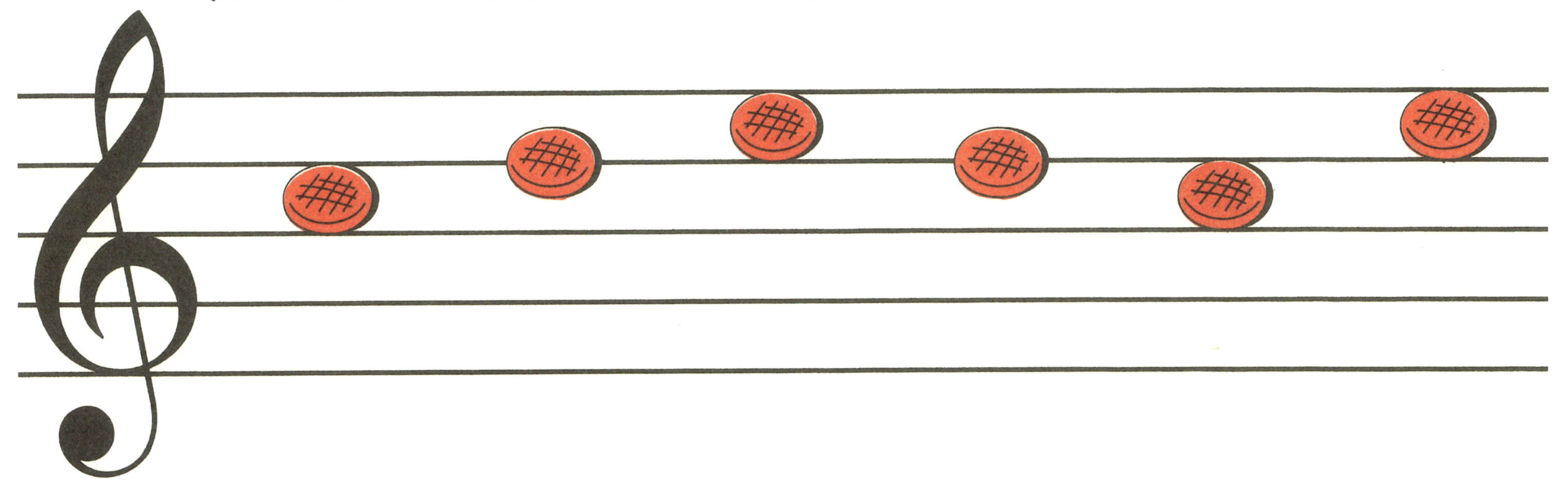

◆ひくだけでなく ゆびあそび
おはじきあそび
はりがみあそび
クレヨンあそび も
いたしましょう。

〔**先生へ**〕ここではキーと五線との関係をおぼえるのが目的ですから、「指使い」は出来たらさせる程度で結構です。

1.

2.

3.

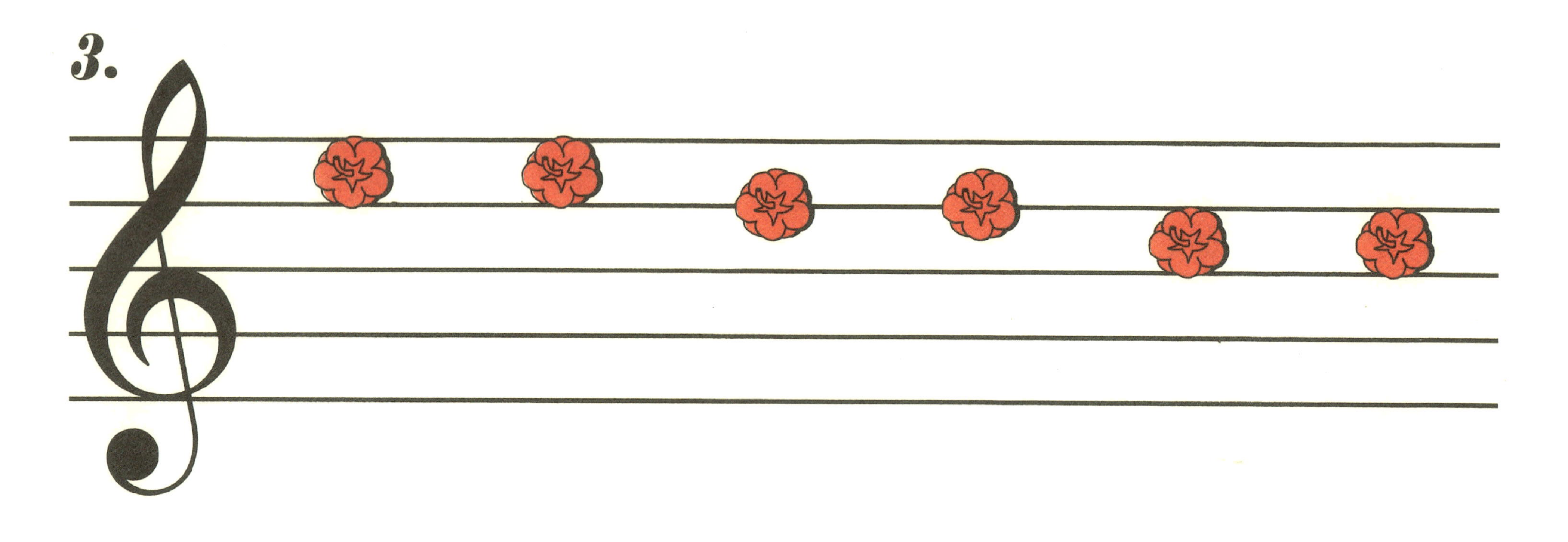

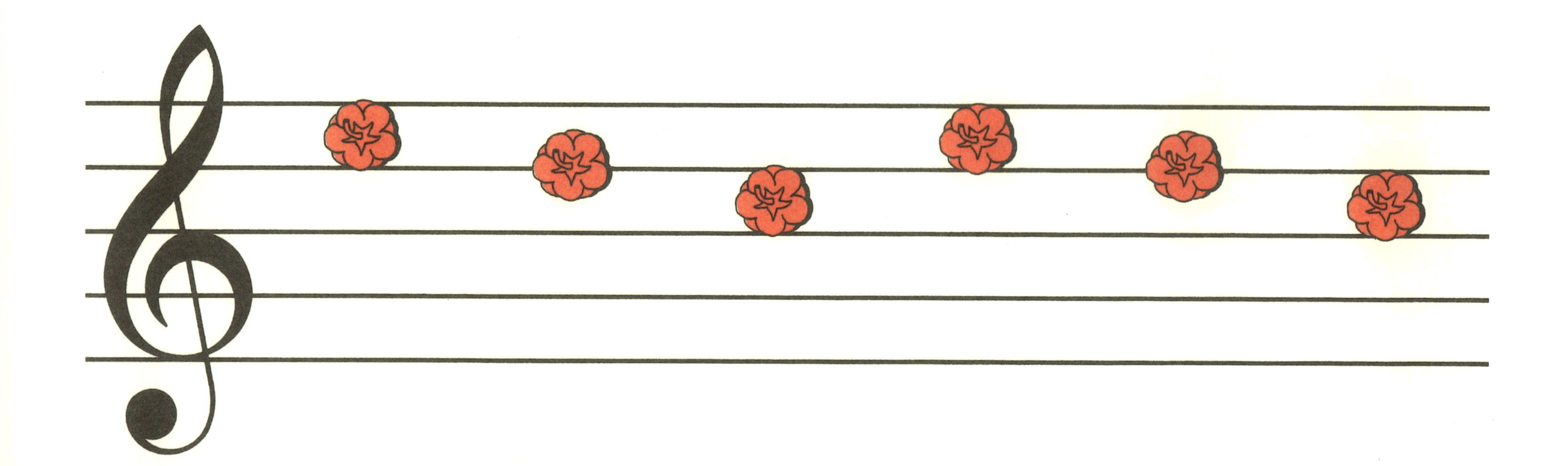

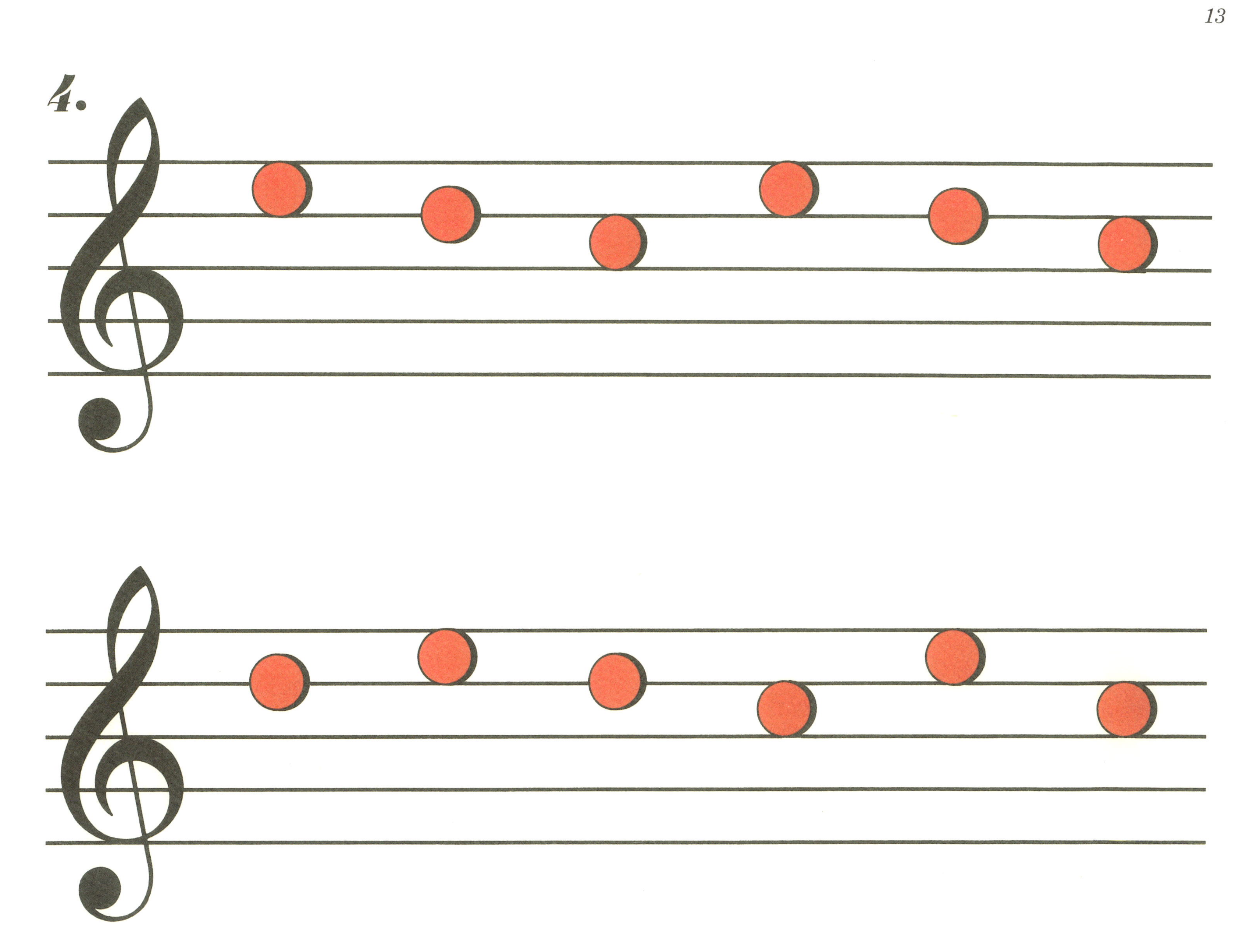
4.

5.

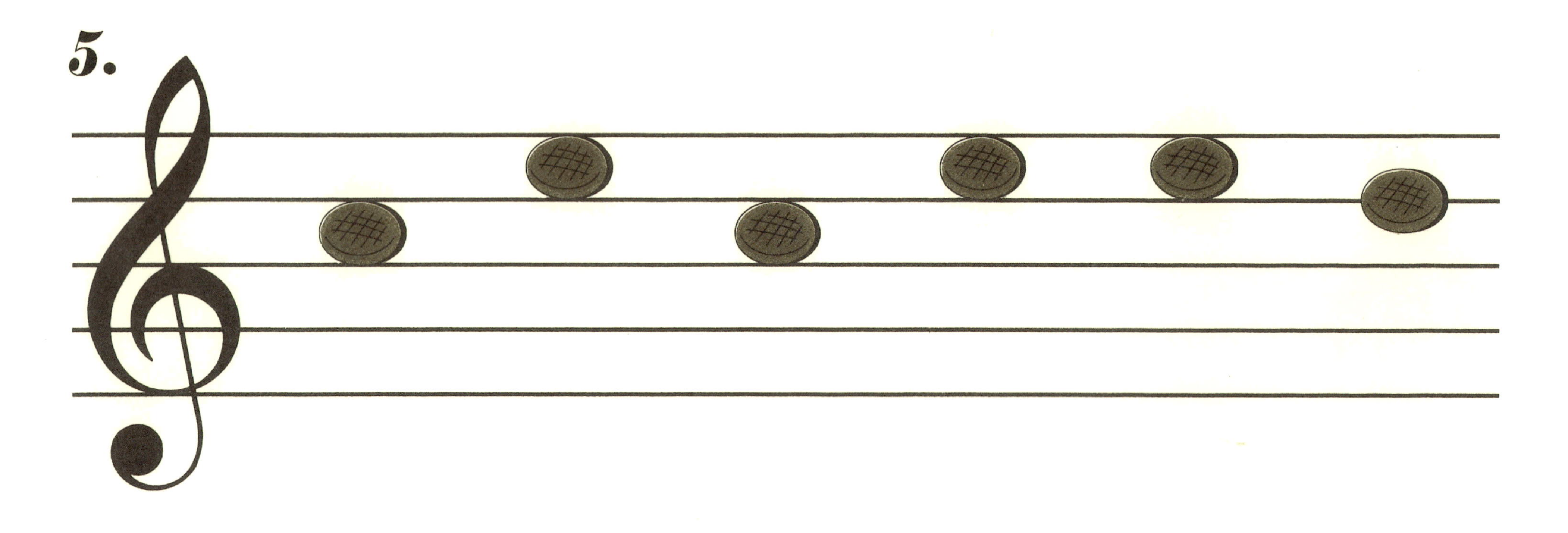

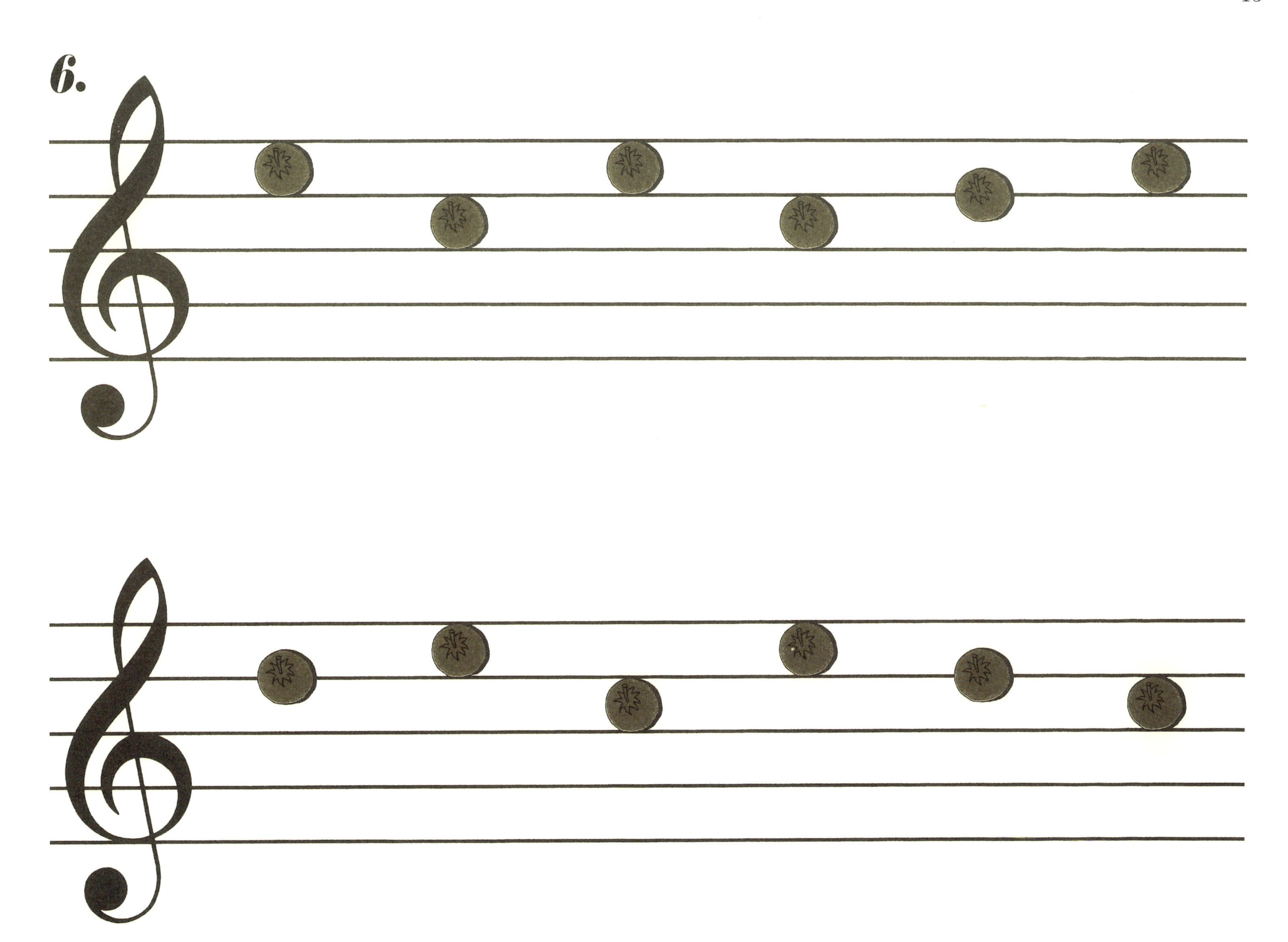
6.

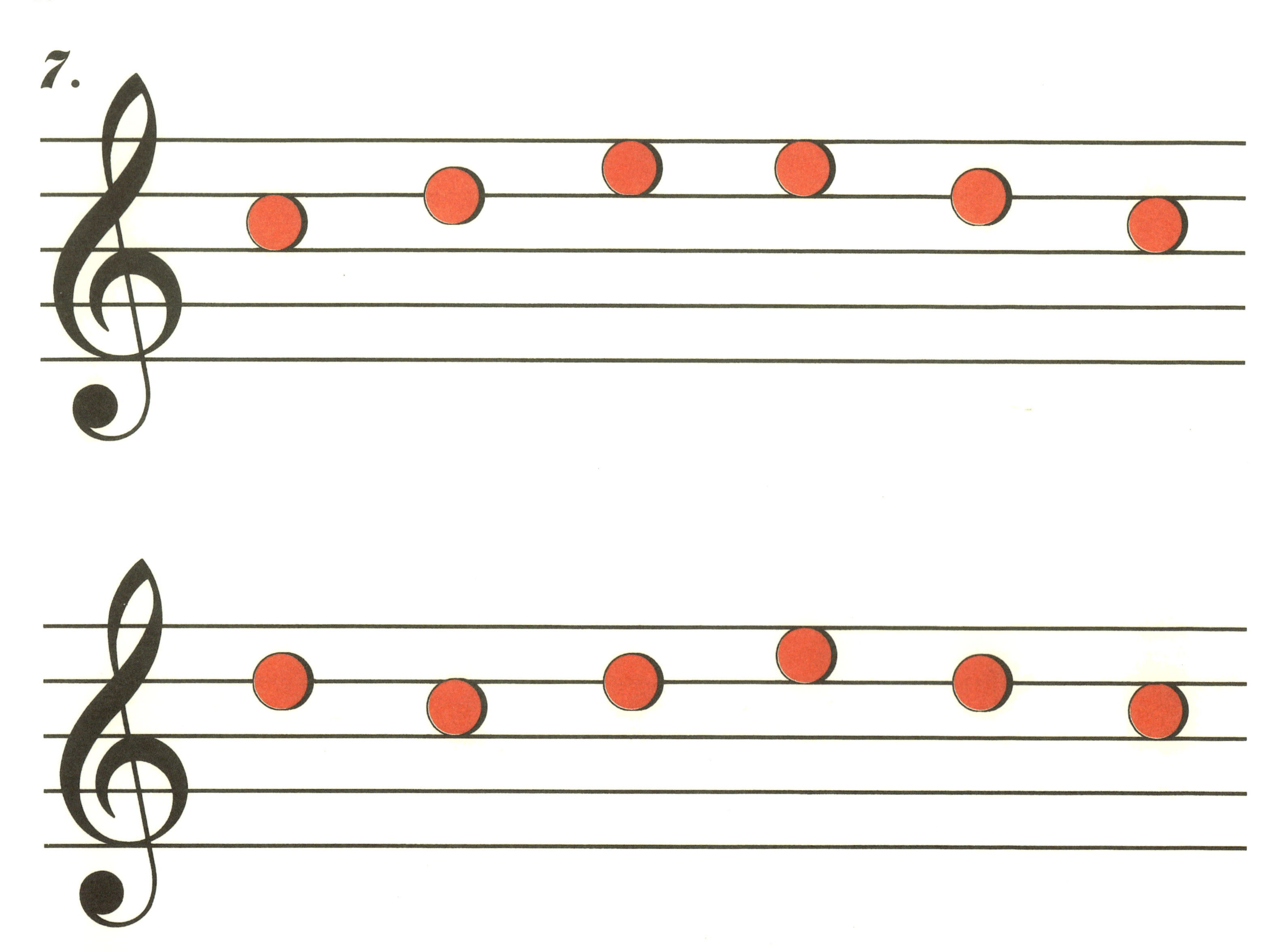
7.

エフ も ひきましょう

この ゆび なーに

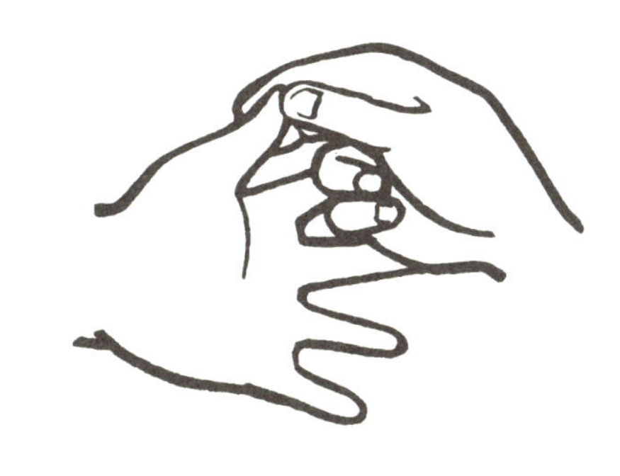

エフ ですよ

◆**エフ** の はりがみあそびを しましょう。

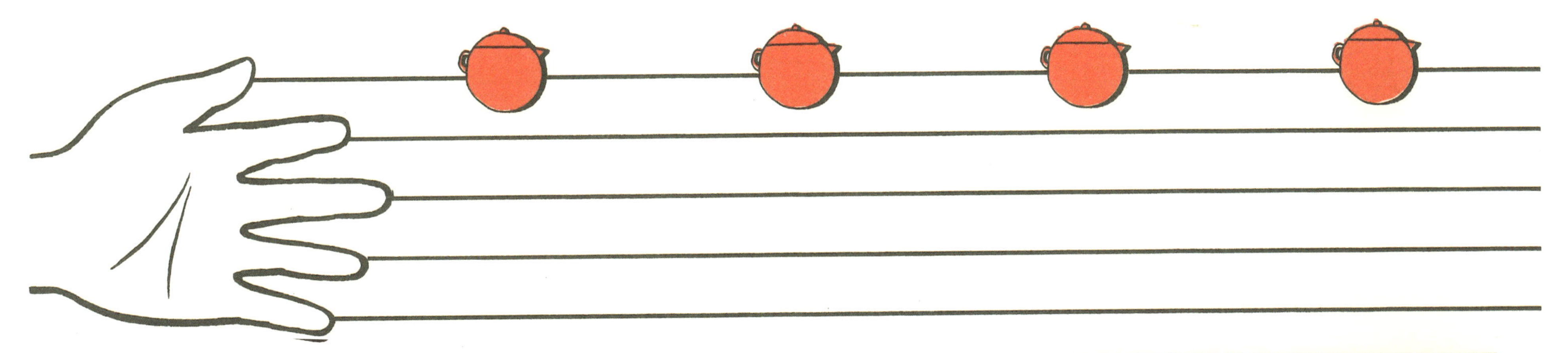

◆**エフ** の おはじきあそびや クレヨンあそびも しましょう。

◆ピアノで **エフ** を ひきましょう。

◆**ツェー デー エー エフ** と よみながら ひきましょう。

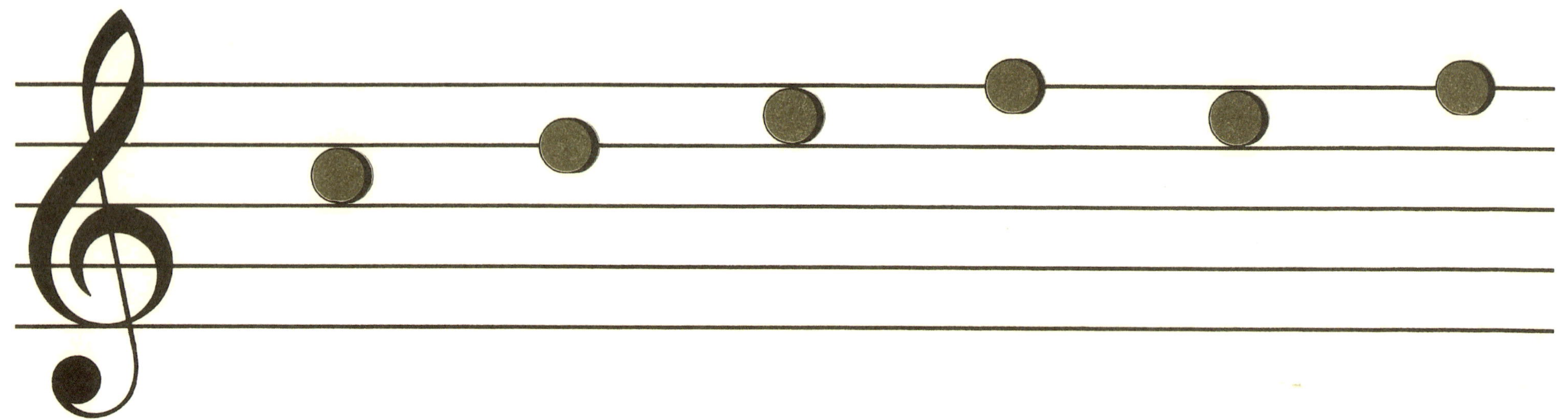

◆ゆびあそび おはじきあそび はりがみあそび
クレヨンあそび も いたしましょう。

〔先生へ〕ここでは新らしく **エフ** を加えて、キーと五線との関係を覚えるのが目的です。

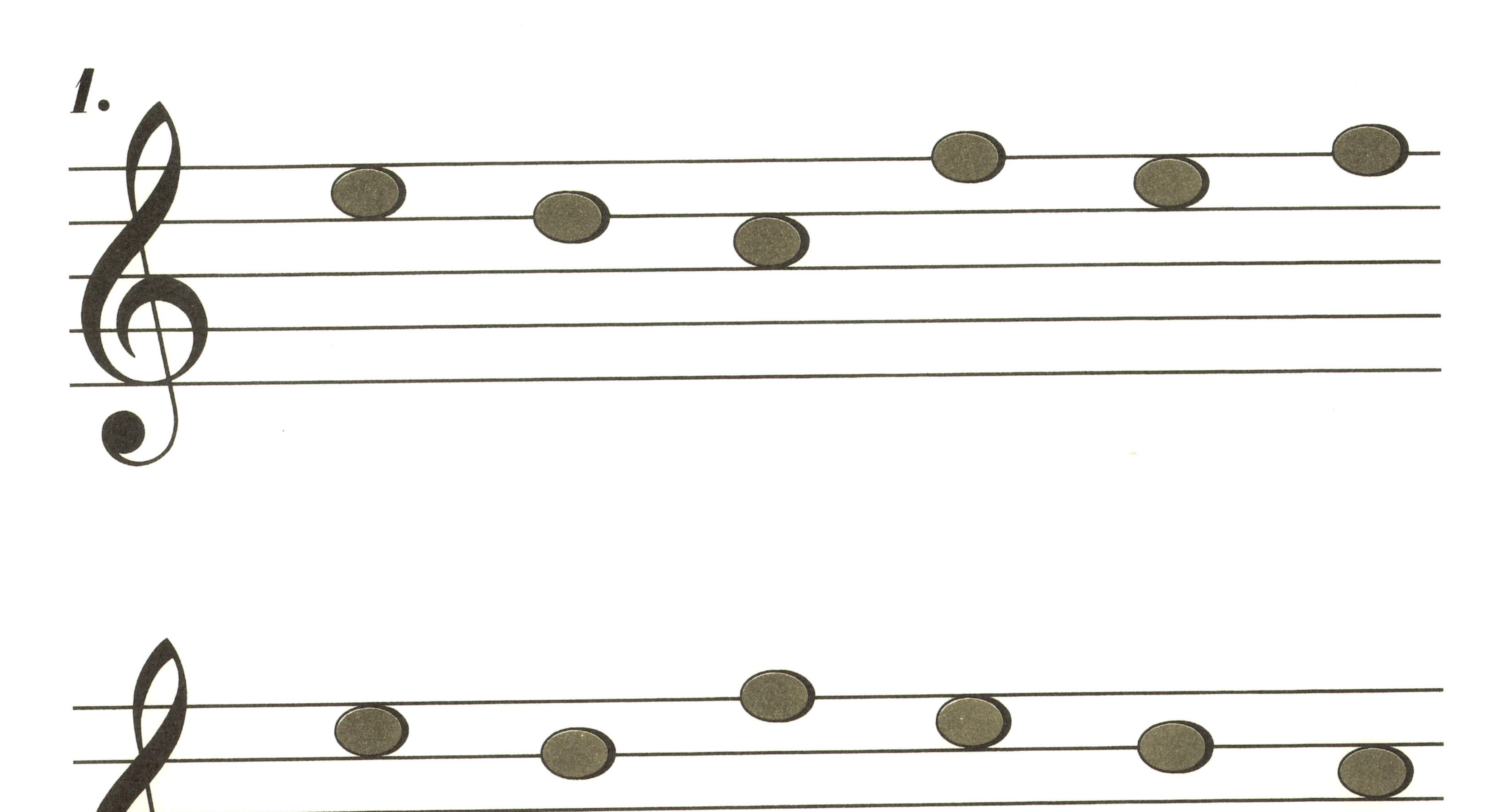
1.

2.

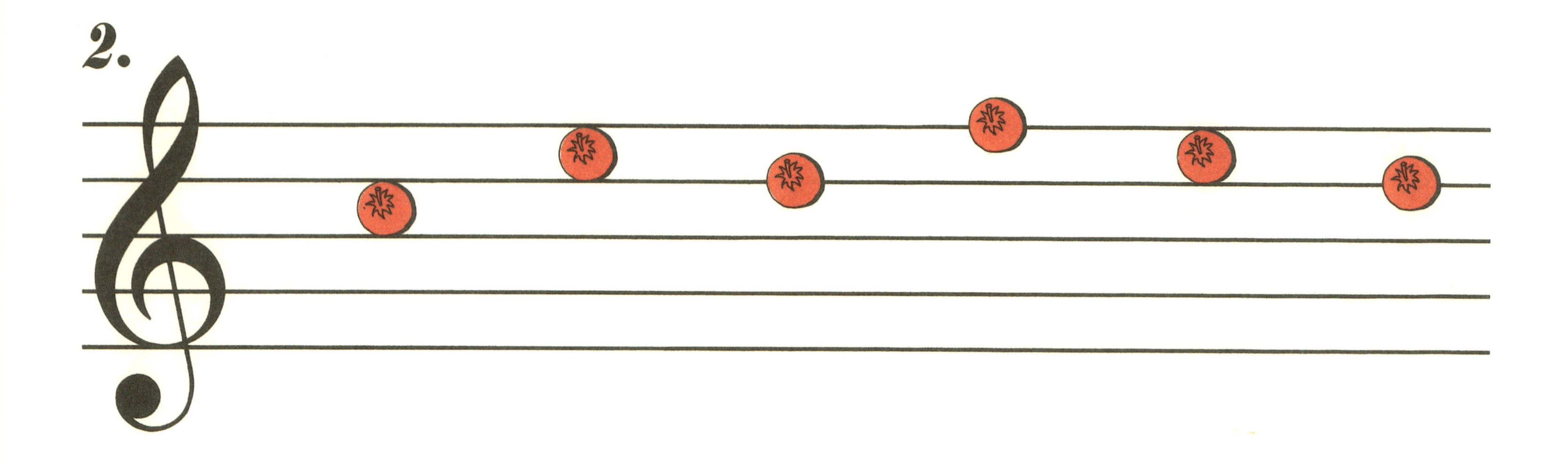

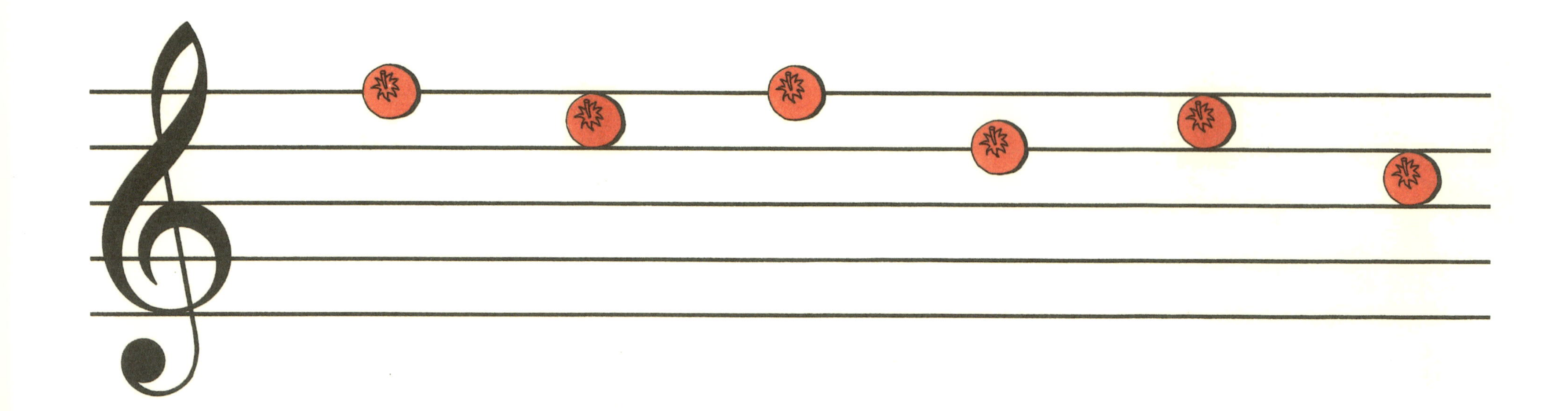

3.

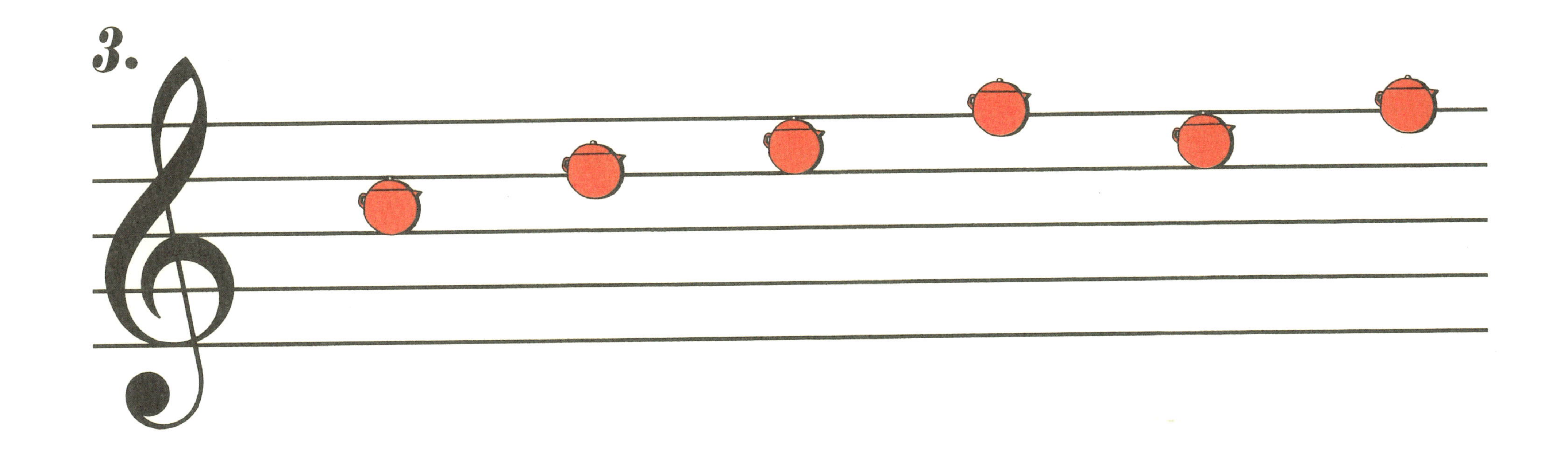

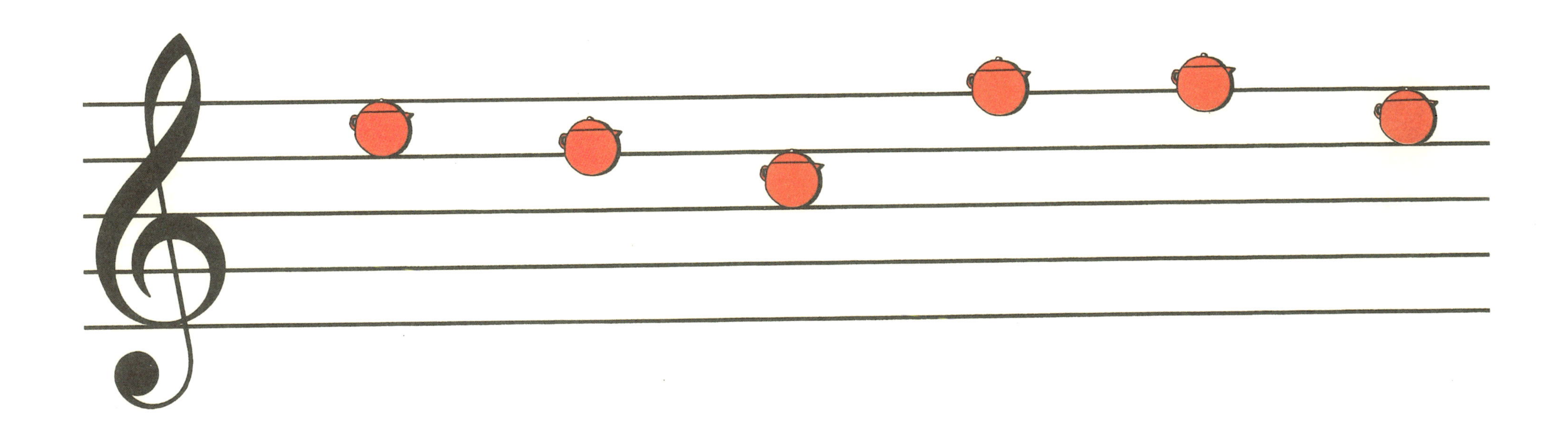

4.

5.

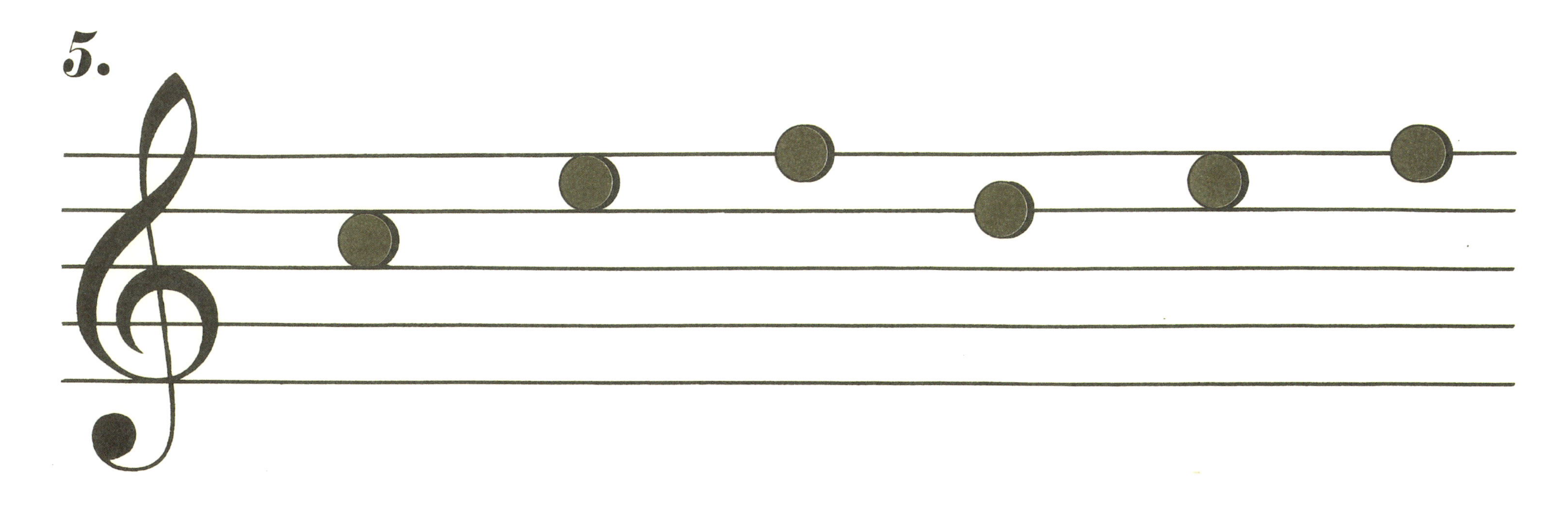

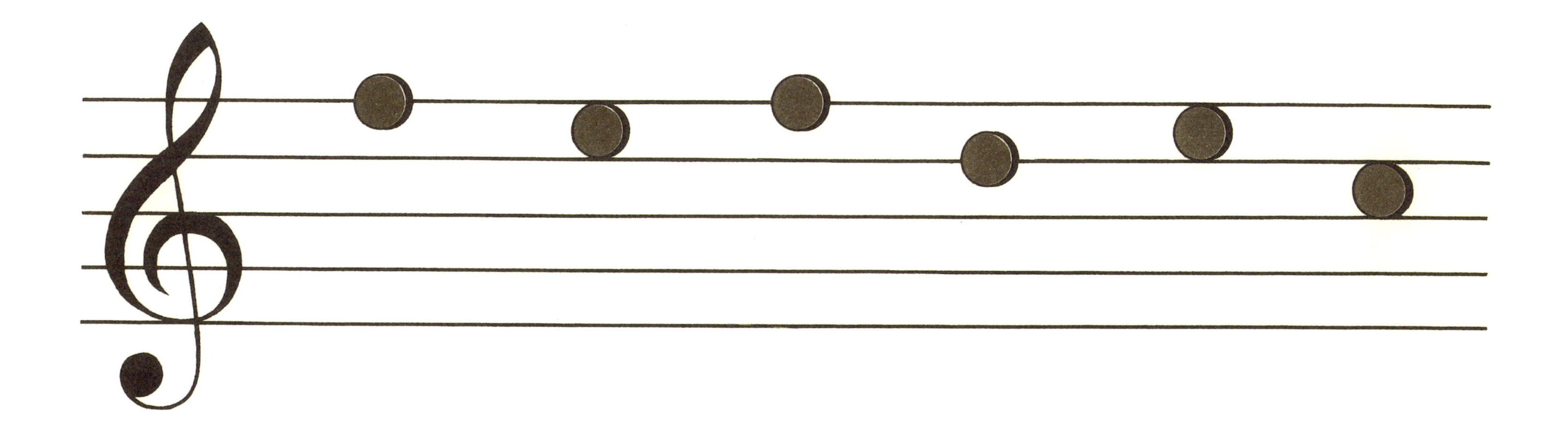

6.

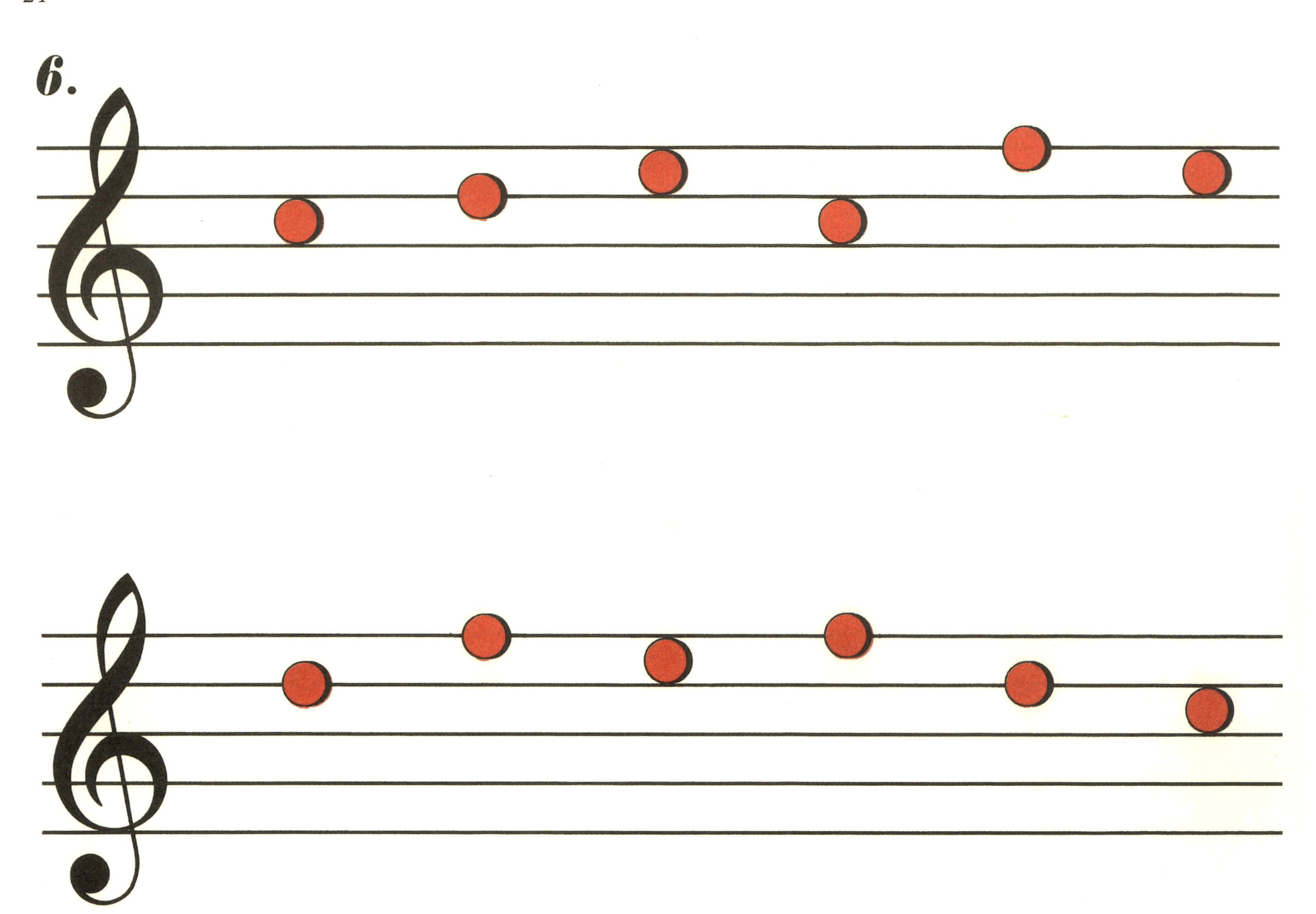

ゲー も ひきましょう

ここ ここ なーに

ゲー ですよ

◆**ゲー** の クレヨンあそびを しましょう。

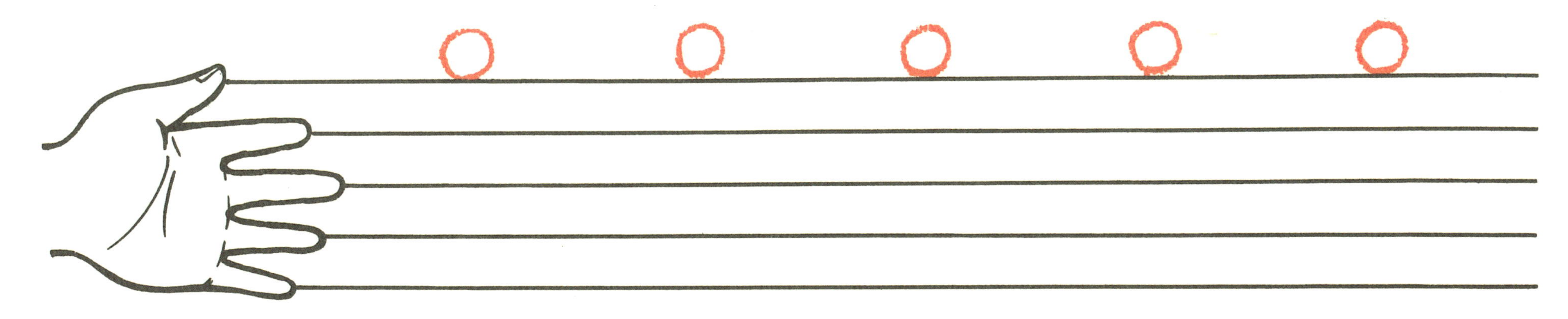

◆**ゲー** の おはじきあそびや はりがみあそびも しましょう。

◆ピアノで **ゲー** を ひきましょう。

◆**ツェー　デー　エー　エフ　ゲー**　と　よみながら　ひきましょう。

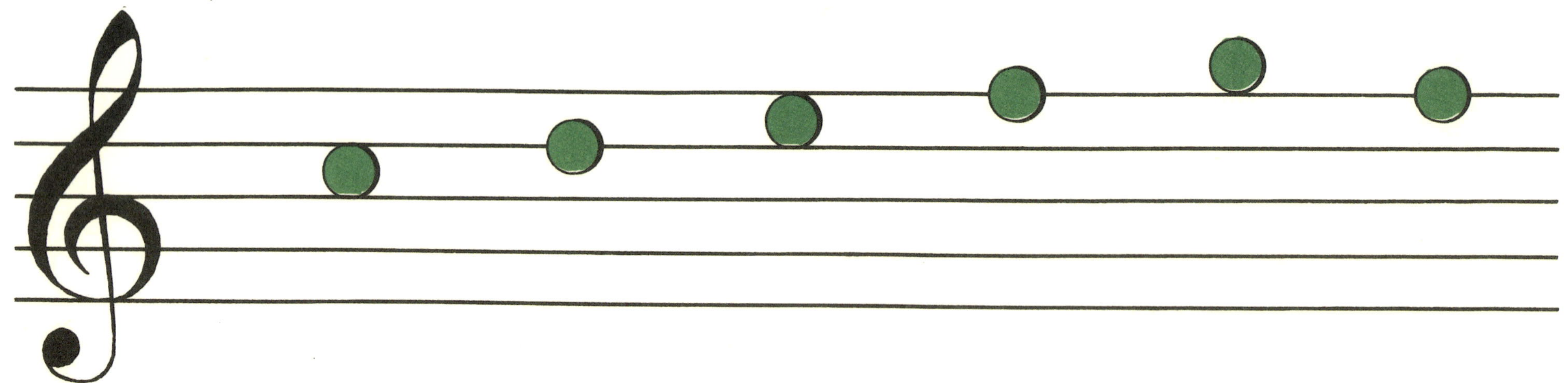

◆ゆびあそび　おはじきあそび
はりがみあそび
クレヨンあそび　も
いたしましょう。

〔**先生へ**〕ここでは新らしく　**ゲー**　を加えて、キーと五線との関係を覚えるのが目的です。

1.

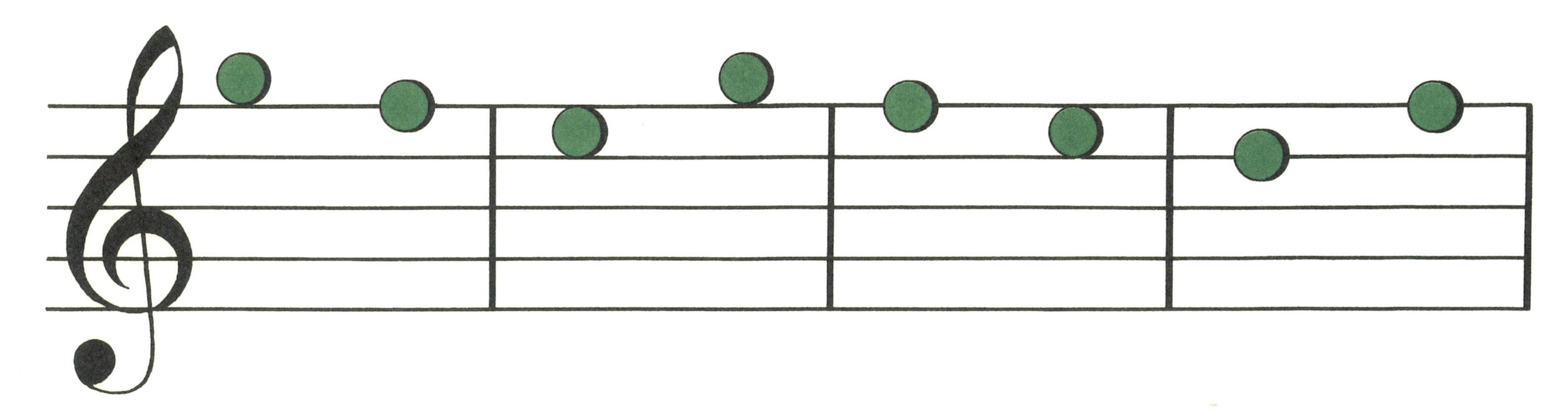

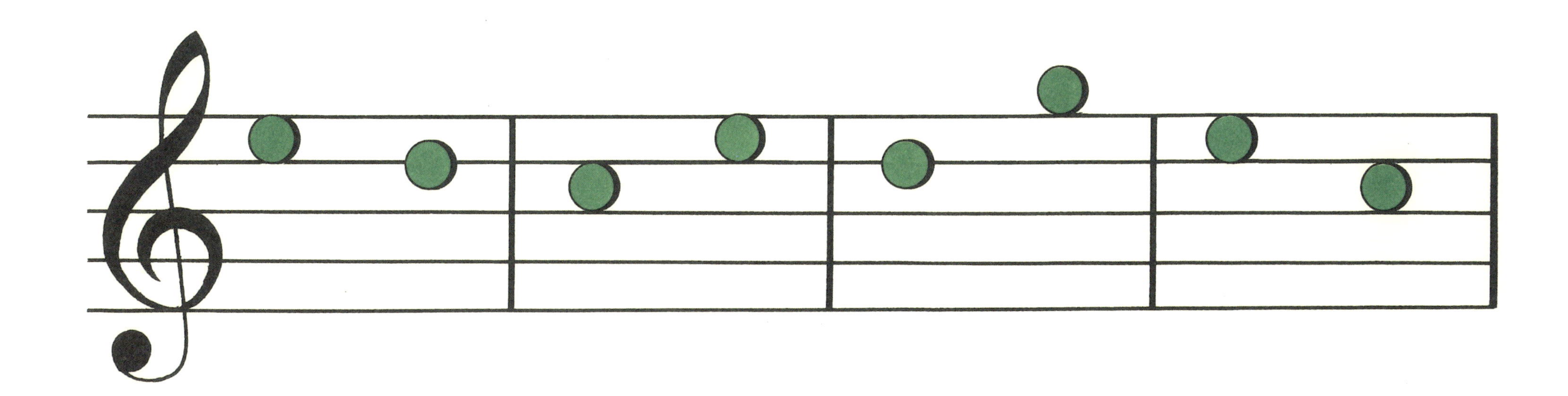

2.

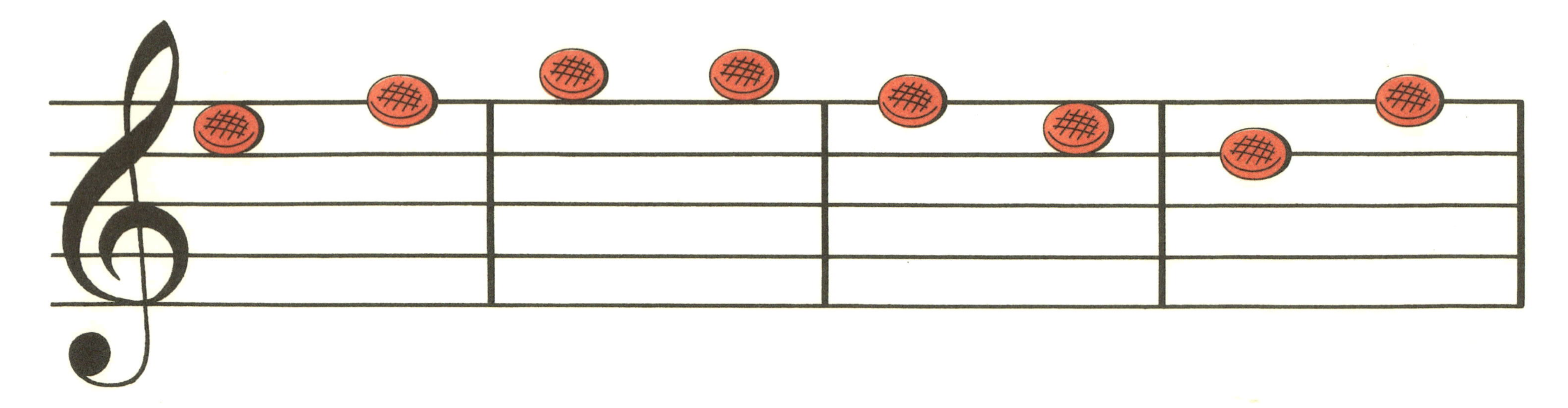

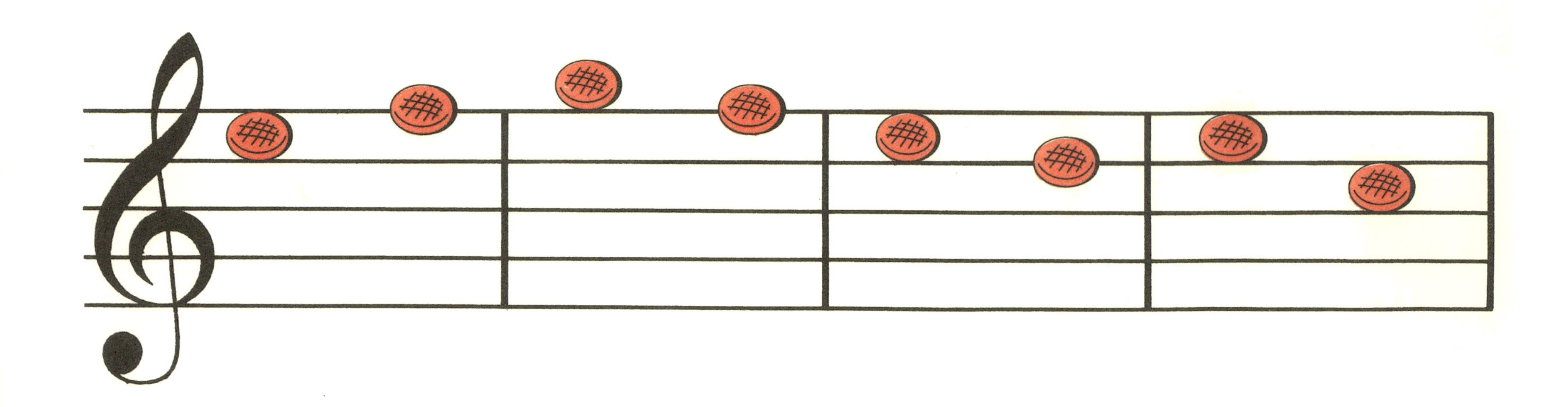

3.

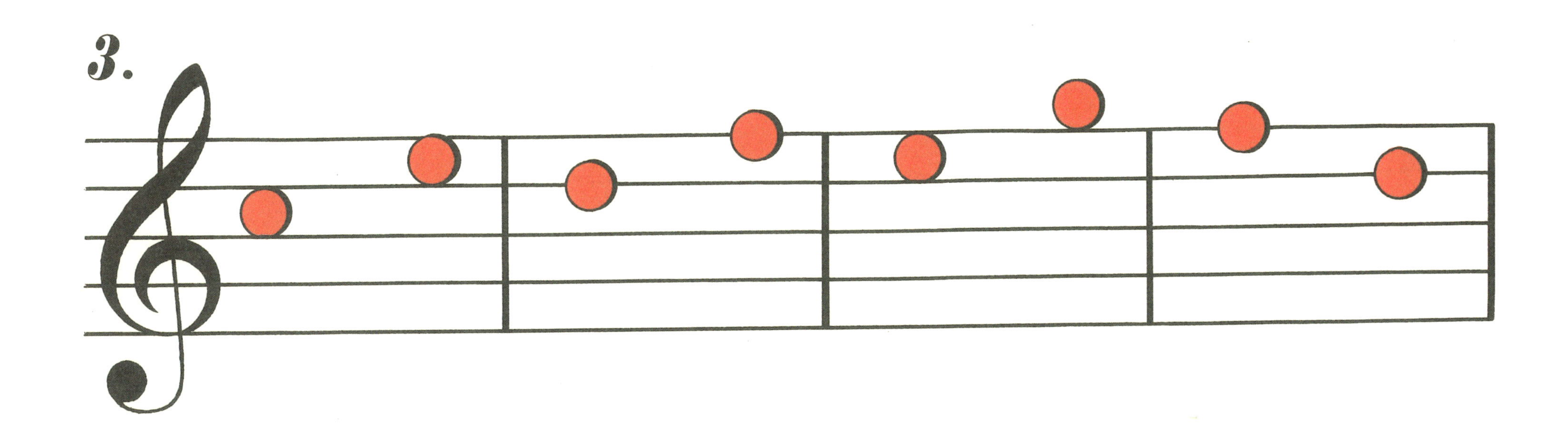

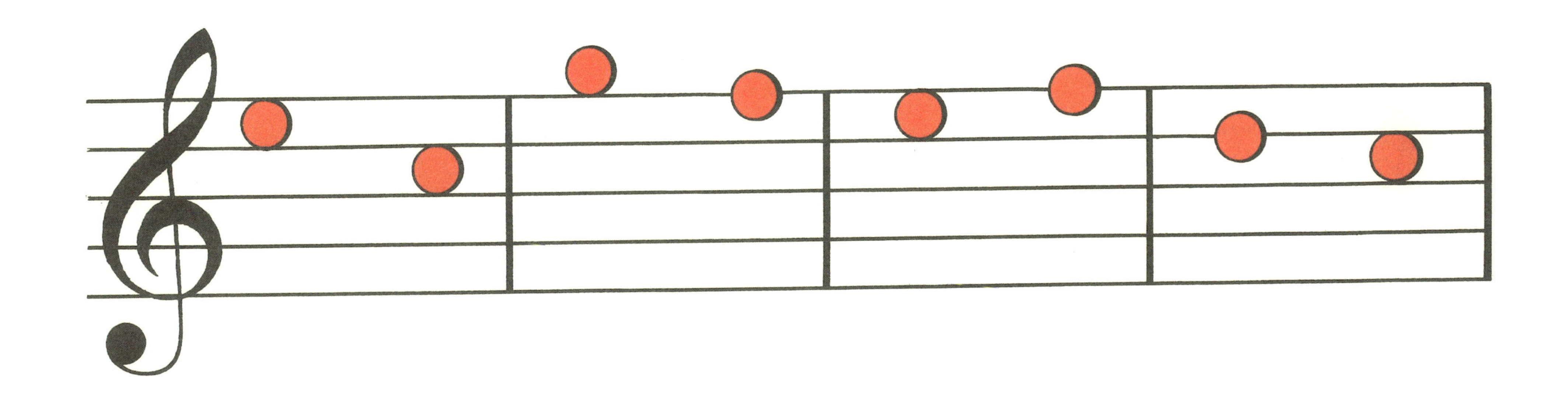

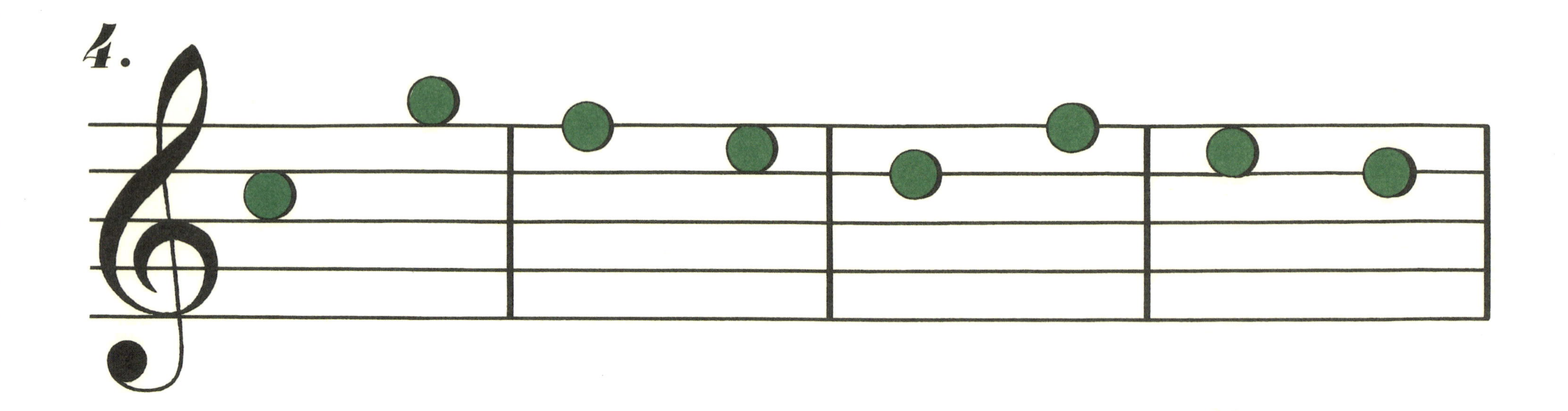
4.

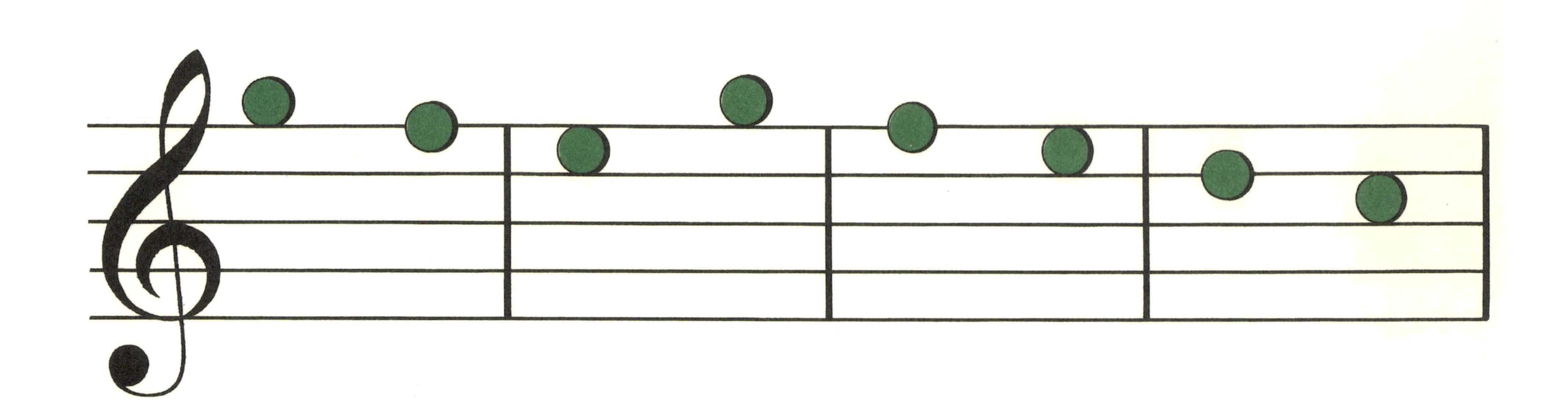

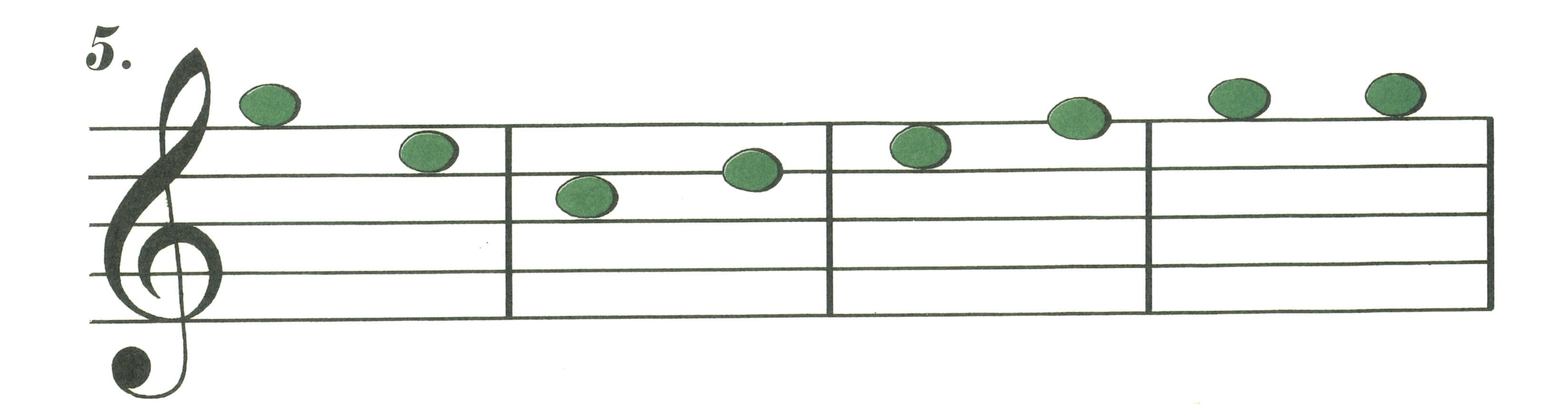
5.

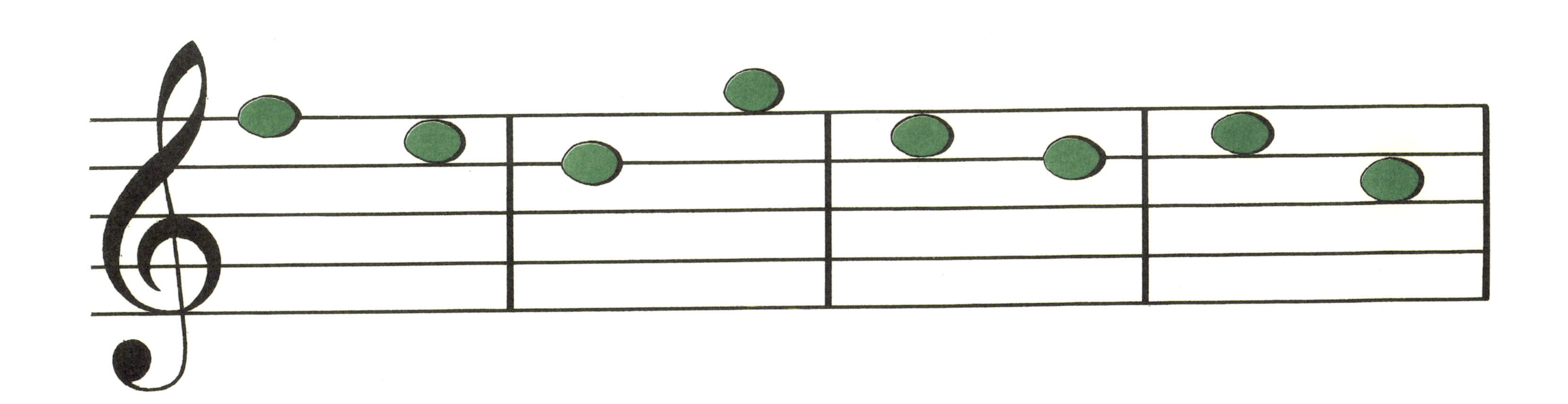

6.

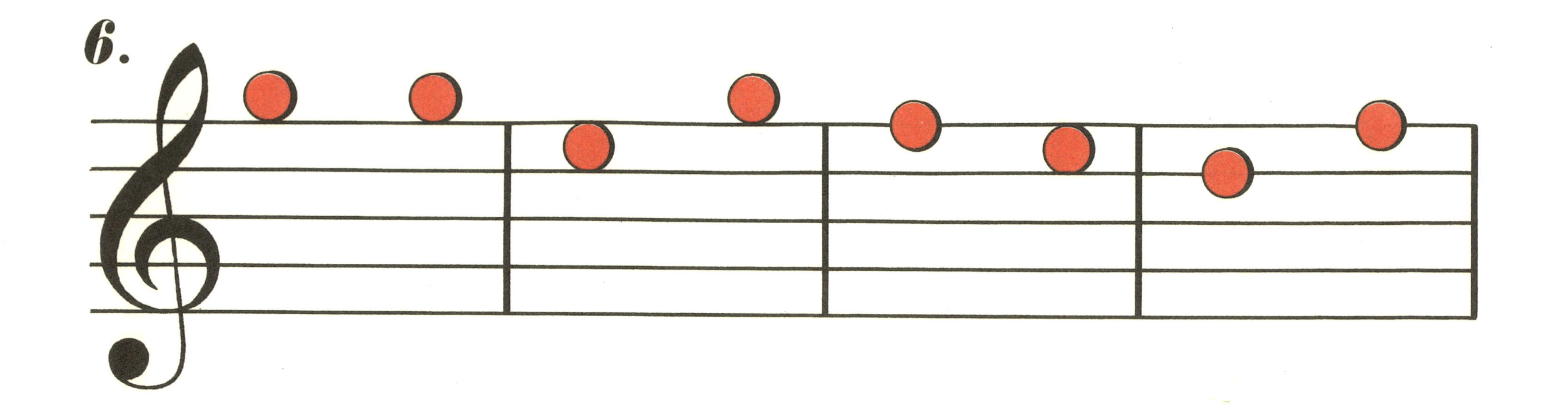

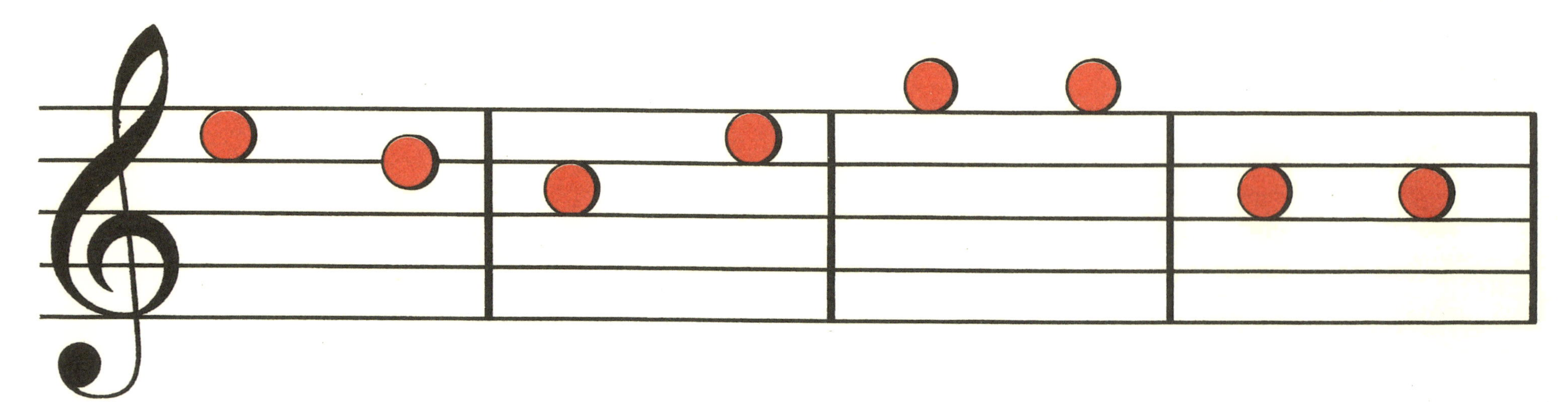

〔先生へ〕ここから「音感こどものバイエル」上巻11頁「みぎて で ひきましょう」へ進み、それから②へ入る方が効果的です。